Aon là rinn e moch-èirigh 's dh'fhalbh e a ruith.
A Bhiorain, O Bhiorain, tha an cù seo airson cluich!

"Maide?" thuirt an cù.
"Pìos-maide sònraichte!
Am pìos as fheàrr airson
cleasachd cho spòrsail.

"Air ais is air adhart,
ga fhàgail, ga iarraidh.

A' togail, a' tabhann,
gu còir agus fialaidh."

"Cha mhise maide! Nach eil e soilleir?
Is mise Bioran, *is mise Bioran*,
IS MISE BIORAN. Sin mi!
'S tha mi ag iarraidh air ais gu mo dhachaigh sa choille!"

Tha an soidhne ag ràdh:
FEUMAIDH COIN A BHITH AIR IALL.
Taingeil siud a bhith seachad, lean Bioran a' triall.

Air ais air a shlighe le leum agus cabhaig.
A Bhiorain, O Bhiorain, thoir an aire dhan chaileig!

"Maide!" dh'èigh a' chaileag
le gàire cho grinn.
"Maide a gheibh buaidh
san rèis seo gun strì!"

"'Bheil fear agaibh uile? Dèan deiseal sa bhad."
Aon, dhà, trì – a-steach leotha dhan t-sruth! Sad!

"Cha mhise maide-cleas! Nach eil e soilleir,
Is mise Bioran, *is mise Bioran*, IS MISE BIORAN, cò eile?
'S tha mi a' siubhal air falbh bhom theaghlach sa choille!"

Tha Bioran a' snàmh, cho èasgaidh sa ghabhas.
A Bhiorain, O Bhiorain, tha eala air fàire!

"Geug!" thuirt an eala. "A' gheug seo as àille!
Geug fìor mhath airson nead tha cho càilear."

"Chan mhise geug! Nach eil e soilleir,

Is mise Bioran, is mise Bioran, IS MISE BIORAN, cò eile?

'S e mo mhiann a bhith le mo theaghlach sa choille."

Tha an nead air a thrèigsinn, ach Bioran mo thruaighe.

A' falbh leis an t-sruth 's a-mach dhan a' chuan e!

Na stuaghan ga thulgadh, a-null is a-nall.
Ga chaith chun a' chladaich, gun dachaigh, air chall.

Seo Dad a' tighinn le spaid 's e cho dàn!
A Bhiorain, O Bhiorain, tha cunnart san tràigh!

"Crann!" dh'èigh an athair! "Crann tha cho sgairteil!"

"Hurà! 'S tha bratach air mullach a' chaisteil."

"Cha mhise crann airson luideag de bhrataich.

No claidheamh do ghaisgeach . . .

no cromag do phasgan.

Cha mhise peann!

Cha mhise bogha!

Cha mhise caman . . .

. . . no boomerang.
Is mis . . ."

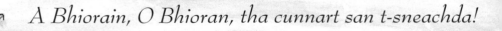

A Bhiorain, O Bhiorain, tha cunnart san t-sneachda!

Seo balach is stoc air, ga chumail-san blàth.
"Gàirdean dham bhodach!" thuirt e le gàir'.

"CHAN E GÀIRDEAN A TH' ANNAM! Nach eil e cho soilleir?
Is mise Bioran, *is mise Bioran*, IS MISE BIORAN. Cò eile?"

"Am faic mi *gu bràth* mo theaghlach sa choille?"

Tha Bioran leis fhèin, air chall anns an fhuachd.
Tha Bioran air a lathadh san reothadh rag, cruaidh.
Tha Bioran cho sgìth, 's tha a shùilean a' dùnadh.
Chan eil an còrr air a shon ach cadal grèis ùine.

Chan eil for aige air glagan no seinn binn na còisir . . .

No guth beag ag ràdh, "deagh bhioran dhan teine againn fhìn!"

Tha Bioran na shìneadh sa ghrèat' an trom-chadal.

Dè tha dol shuas gu h-àrd?
  An toiseach, an gàire,
an uairsin an ràn:
  "O-ho-ho ho-ho.
CUIDICH mi!
  Tha min SÀS!"

Fear an sàs? *Fear an sàs!*
  Saoil cò tha sa chàs?
"Na gabh dragh!" dh'èigh Bioran.
  "Chan fhad' bhios tu 'n sàs."

Le sgrìobadh is sgròbadh
  is sùith a' dol na smùr.
Le crith agus crath,
  nochd cas tron an stùr.
Le upag is putag,
  bocadaich is leum . . .

Siud Santa san t-seòmar le brag agus drèin!

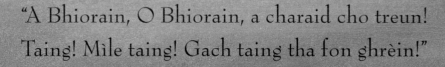

"A Bhiorain, O Bhiorain, a charaid cho treun!
Taing! Mìle taing! Gach taing tha fon ghrèin!"

Le sin chuidich Bioran a' taghadh nan dèideagan
'S gam fàgail aig clann bheag …

… nach biodh fada gu èirigh.

Fad na h-oidhche tron chathadh, thug iad ruith air gach àite,
Gus an tuirt Santa, "Aon similear air fhàgail!"

Bean Bhiorain cho truagh, 's a' chlann cho brònach.
Chan e Nollaig bhios ann gun an athair sa chòmhlan.
Ain-fhoiseil san leabaidh gun iarraidh air cadal.
Dè fuaim a bha siud, a' crathadh nan cabar?

Cò tha gus tuiteam a-steach dhan an t-seòmar?
Eun 's dòcha, ialtag, no feòrag?
No saoil an e . . . 's e, cuiridh mi geall gur h-e . . .

"Is mise Bioran, *is mise Bioran*,
IS MISE BIORAN, cò eile?
'S chan fhàg mi rim mhaireann
mo theaghlach sa choille."

Do Adélie

A' chiad fhoillseachadh am Breatainn an 2008 le Alison Green Books.
meur de dh'fhoillsichearan Scholastic Children's Books
Euston House, 24 Eversholt Street, Lunnainn NW1 1DB

Earrann do Scholastic Earranta
www.scholastic.co.uk
Lunnain – New Iorc – Toronto – Sydney – Auckland – Mexico City – New Delhi – Hong Kong

13 5 7 9 10 8 6 4 2

A' chiad fhoillseachadh sa Ghàidhlig an 2017 le Acair Earranta
An Tosgan, Rathad Shìophoirt, Steòrnabhagh, Eilean Leòdhais HS1 2SD

info@acairbooks.com   www.acairbooks.com

© an teacsa Ghàidhlig Acair, 2017
An tionndadh Gàidhlig le Mòrag Stiùbhart
An dealbhachadh sa Ghàidhlig le Mairead Anna NicLeòid

Tha Acair a' faighinn taic bho Bhòrd na Gàidhlig.

Chuidich Comhairle nan Leabhraichean am foillsichear le cosgaisean an leabhair seo.

Gheibhear clàr catalog CIP airson an leabhair seo ann an Leabharlann Bhreatainn.

LAGE/ISBN 978-0-86152-450-1

Clò-bhuailte ann an Sìona